낭만이 앓은 병명

낭만이 앓은 병명

발 행 | 2024년 07월 22일
저 자 | 백노아
펴낸이 | 한건희
펴낸곳 | 주식회사 부크크
출판사등록 | 2014.07.15(제 2014-16호)
주 소 | 서울 금천구 가산디지털 1로 119, SK트윈타워 A동 305호
전 화 | 1670-8316
저자이메일 | noxh.nox@gmail.com

ISBN | 979-11-410-9633-5

낭만이 앓은 병명

백노아 문장시집

목차

프롤로그

; 낭만을 먹고 살 수 있나요

백 개의 시, 백 개의 사랑.

너는 영화 같은 사랑을 원하고 소설 같은 사랑을 원했지만 그거 알지 현실은 영화도 소설도 아니야. 네가 그랬잖아, 드라마는 드라마일 뿐이라고. 똑같은 말을 너에게 돌려줄게. 너라는 영화가 존재해도 여주인공은 내가 아닐 거야. 뭐, 알고 있어. 스쳐 지나가는 카메오 3 정도 된다면 감사해야겠지.

너를 생각하며 끝없이 플레이리스트를 돌려. Vancouver, Vancouver 2, 연착, 정이라고 하자 또는 빠삐용, 같은 것들. 내가 이 노래들의 가수를 좋아하는 이유는 그가 내 이야기를 하기 때문인데 내가 듣는 그 노래에는 네가 없다. 낭만 소실의 시대 나는 그 뮤즈처럼 될 수는 없었나보지. 나에게는 낭만이 없어, 너에게는 뭐가 낭만인데. 소실한 청춘의 끝자락을 그제서야 사랑이라는 게 존재했다 뻔한 소리를 해댈 건 아니지.

너는 미래를 기약하며 그 미래에 한도를 주지 않고 나는 종래 없는 시간에 허덕이기만 하겠지. 너에게 하고 싶은 말은 마음속에 담아둔 채 전화나 문자 정도로 전할 수 있을 정도로 가볍지 않다고 세뇌하면서. 바다 너머 전해야만 하는 이 이야기는 네가 보지 못하는 지금 너와 나 사이에 펼쳐질 거야.

Captain crew speaking. 긴급 속보입니다. 블립 현상 발생으로 모든 비행기가 연착되었음을 알려드립니다. 승객 여러분께서는 집으로 귀가하시어 사랑하는 사람과 행복한 시간 보내시길 바랍니다.

안 되는데요 제가 사랑하는 사람은 바다 건너 저쪽에 있는데요.

<연착>을 들으며.

앞이 보이지 않는 사랑,

07 월 04 일 백노아.

낭만이 앓은 병명

물질만능주의

셈으로 치환되는 이 세상에서 우리의 사랑은 늘 가난했어

맹목

그러게나 말이다 너에게 미쳤어야 했는데 너에게 빠져 익사 직전까지 허우적댔어야 했는데 사랑은 바보처럼 하는 게 현명하다지만 나는 그렇게까지 똑똑하지는 못했던 모양이라

뒷모습

네가 이전에 물었다 너는 왜 내 뒷모습만 기억나냐고 그야 당연하지 나의 추한 앞모습이 보였다면 너는 기어코 울고 말 테니까

활자 살인

나의 염원이었던 만년필로 죽는 법

너의 손아귀 안이라면 더 좋고

칭호 실격

네가 있기에 글이 나왔는데 이젠 네가 없으니 나는 문인 칭호도
실격이구나 이제 나에게는 뭐가 남았지

죽은 너

사랑에 죽은 나는 내 사랑으로 너를 죽이고 죽음은 영원할 줄 알았는데 그것도 결국 죽어버린 나의 신념이었어

파도

너에게 여름 하면 무엇이 떠오르나 물었을 때 너는 주저 없이 파란 바다라고 말했어 네 말이 옳다면 낭만의 浪자는 파도의 浪자를 썼나 보다.

햇빛

네가 존재하는 나날의 태양빛은 노란색이 아니라 푸른색이었어

된통 얼어버렸으니까

한여름의 오한

네가 사는 여름은 참으로 위험했다 시도 때도 없이 덮치는 오한에
나는 그걸 쉽게 감기로 착각했으니까 나중에서야 알았어 그게
불치의 열병이라는 걸

펜

문인이 문인을 사랑할 때

반드시 알아둬야 할 것, 첫 번째

너의 펜이 줄줄 흘리는 잉크는 나의 우울이나 다름없어

눈물이 잘 써지던

나의 잉크는 구십오 퍼센트의 눈물과 오 퍼센트의 혈액으로 이루어져 있다 그 잉크를 쓰는 펜촉에는 언제나 네가 덕지덕지 묻어 있었으니 그걸 자각한 순간 나는 순식간에 문인 칭호를 상실했고

봄

밤마다 너를 기다리니까 너는 늘 이맘때 왔으니까 나는 오늘도 필시 널 보게 될 걸 예상하고 이 자리에 있어

그거 알지 오늘은 춘분이야

아팠다

너에게 나는 일상적인 것도 얘기 못 해 이게 대체 무슨 의미가 있어 나를 살려보라고 너를 옆에 두는데 너는 정작 구원에는 관심조차 없어

내가 아프다 해도 너는 내게 관심조차 없었잖아

광인

사랑은 광기에 목매달고 미쳐가는 게 건강한 거야

유의어

달이 예쁘네요 가 아니라 달을 보고 싶다 라고 말하면 네가 달려오긴 할까 닮은 말이 하나도 없는데

*일본의 문인 나쓰메 소세키는 "좋아합니다"라는 말이 부끄러워 "달이 예쁘네요"라고 서신했다고 한다

낡은 운동화

운동장에서 달리기를 끝낸 나는 나의 낡은 운동화가 창피해 급히 교실로 돌아가려다 신발끈이 풀려 멈춰 섰고 너는 그런 나의 신발끈을 어여쁜 손으로 묶어주었지

여름이었다

그리고 그 여름은 영영 추억으로 남았다

추억으로만

어느 시절

여름이었다, 청춘이었다, 또는 낭만이었다, 라고 불리는 그 시절

과거형이 되어버린 시계는 돌아오지 않았습니다

놓아도

놓았다고 생각했고 놓았다고 치부했고 놓았다고 확신했고 너는 내가 떠나보내도 자꾸만 스스로 돌아오면서 모든 게 다 내 탓이라고 하는데

나보고

대체

어쩌라는 거지

하늘이 무너지던 낙원

너와 함께 있는 곳의 하늘이 무너져도 좋았다 나의 몽상이
부서지고 허상이 짓뭉개질 때마저 나는 웃고 있었을 테니까

그때의 너는 검은 옷을 입고 나를 바라보고 있었지만

평화와 재앙

네가 있는 나의 낙원은 평화 네가 없는 나의 낙원은 재앙 이 부지불식의 사태를 해결하기 위한 방법

평화와 재앙을 동시에 갖는 법은 멸망밖에 없어

네 편

나는 네 편이야, 를 너의 단어로 이야기해 봐

나는 널 위해 죽을 수도 있어

나는 널 위해 죽일 수도 있어

사랑할 사람

꿈에 나타난 너의 폰 속에 문장 하나

시간 있으면 전화 줘 아직 보고 싶어

시간 있으면 전화 줘 아직 보고 싶어

시간 있으면 전화 줘 아직 보고 싶어

근데 말이야 꿈이 랑 현실 은반 대지

공감

사랑이란 것에 구걸해 본 적 있니 목숨이라도 매달아 본 적은 있니 그게 지금 내가 하고 있는 행위인데 너는 마음에 없는 공감 따위 지지리도 못했으면서

자해

모든 감정을 소비하고 나면 뭐가 남는 거지 현실에서 도피하기
위해 사람은 사랑을 쫓았다 그 끝은 고통일 걸 뻔히 알면서도

그거 알지 사랑은 자해야 말하고 보니 너무 식상하네

불치병

내쉬는 숨에 네가 섞여 있으면 어떻게 불쑥 터져 나오는 너의 미소가 내 폐를 찌르고 들어가면 어떡해 결국에는 치료법도 없는 불치병으로 남을 건데

오래 살기

나는 오래 살고 싶었다 네가 나를 바라볼 때까지 그 자리에 가만히 있겠다는 멍청하고 오만한 생각을 했다 반드시 너는 나를 봐줄 거라고 그땐 왜 그렇게 방자했을까 근거 없는 자신감은 참 무서운 것이었고

그렇게 나는 오래도록 죽었다

역류

사랑해

이 말 한 마디 뱉을까봐 나의 매일은 조마조마했다

불안한 사랑

선생님 이제는 놓아주는 게 맞겠죠 사실은 놓아줄 수 있다고 생각도 안 해요

난 애초에 그 사람을 잡은 적도 없었고

그 사람은 내게 잡힌 적도 없었으니까

사랑을 쉽게 퍼주는 건 병이야

새벽마다 찾아오는 우울에 한참을 앓았다 시간을 팔면 쏟아지는 그리움도 딸려 가는지

너도 알잖아 나의 새벽은 너 한정으로 값싸 그러니까 부디 많이 가져가 달라고

아저씨

가끔은 드라마의 명대사가 바뀌었으면 해

아저씨, 사랑해요

대신에

아저씨, 우리 같이 죽어요

처럼

오래된 감정

나는 색바랜 심장을 끌어안고 참 오래도 울었다

다른 게 아니라

아니 그러니까

다른 게 아니라

그냥

뭐하나 싶어서

별거 아니야.

신경 쓰지 마

라고 속으로만 여러 번 질문하고

슈뢰딩거

너는 사랑하면 웃지만 나는 사랑하면 울어 너는 널 사랑하는 날 모르지만 나는 날 모르는 너를 알아 너의 사랑이 빚은 도시는 다색하고 나의 사랑이 빚은 도시는 흑백이지

우리의 사랑은 살아있지만 죽어있어

영원

영원은 영원하지 않지만 영원이 영원하지 않다는 말은 영원하다는 말을 들었어 정말 그럴까 영원이 영원하다는 말을 쓰는 사람이 영원히 죽으면 더 이상 그 문장은 영원하지 않는 건데 그래도 너는 영원을 참 사랑했으니 나는 영원히 영원이 영원하다고 말할게

사랑하지 않아요

네가 뱉은 말은 내가 이때까지 들은 거짓말 중 최악이었다

거짓말일 테고 거짓말이어야만 했다

테

나의 심장에는 테가 있다 네가 내 곁에 있을 때 짙어지고 네가 내 곁에 없을 때 옅어지는

나는 너의 동정을 양분으로 먹고 자랐다

껌

새벽 다섯 시에 한창 너는 꿈을 헤맬 그 시간에 나는 너를 생각하며 그리움을 씹고 씹다 뱉어버려 뱉어낸 기억은 결국 소멸할까 아니면 찝찝하게 남은 단내처럼

그렇게

아주

오래-

모난 것 없는 너에게

어디 하나 부족한 것 없다 느껴졌던 너는 오히려 완벽하면 벽이 느껴져 싫다 했지 찾아보면 너에게도 어딘가 부족한 점은 있을 거야 이를테면 내가 너를 좋아한다는 걸 모를 정도로 눈치가 없다거나 내가 너에게만 해주는 걸 눈치채지 못할 정도로 센스가 없다거나

그런데 있지 그래도 좋아해

사랑팔이

사랑을 팔아 구원을 연명할 수 있다면

사랑은 소모품이고 구원은 존재하지도 않는데

그냥 둘 다 죽으면 안 되는 걸까

애심

나는 사랑을 벌어먹고 살아 나의 심장은 감정이 울컥대는 금붕어가 사는 어항 따위가 아니라 판대 위에서 값싸게 팔리는 메마른 물건과 뭐가 다른데

권유형 문장

같이 사랑하자, 와

같이 사랑하자! 와

같이 사랑하자? 의 차이

장마

늘 그랬다 우울이 습기처럼 번지면 너는 장마처럼 쏟아졌지
축축하고 기나긴 낭만이라 치부되는 음습은 언제 끝나는 걸까
여름이라는 건 매번 유쾌하지만은 않았다

언제부터

십 년도 더 된 애를 사랑할 수 있냐

일 년만 더 지나면 알 수 있겠지

이 말의 진위여부를

사랑도 미련도 아닌 정이라고 부를지

사랑이 맞으니 정리하고 갈지

*빅나티 (Big Naughty) : 정이라고 하자 (Ft. 10cm)

사계

일 년 돌아가면 너에 대해 뭐든 안다는데 나는 그 말대로 일 년 돌아가 너에 대해 대부분을 알았다

알지 말았어야 했는데

집중력

앙다문 입술과 손에 꽉 쥐어진 볼펜 반대편 손에는 노란색 형광펜
너는 삼색 볼펜과 형광펜만 쓴 채 문제를 풀었지 네 주위에
떠다니는 소음은 전혀 없었어

다른 사람에게 주는 글을 빌려 네 얘기를 실어버렸네

짧은

짧은 말이 좋아 미사여구 붙일 필요 없으니까 쓰기도 쉽고 읽기도 쉬우니까 값을 매기면 얼마 하지도 않고 아주 어린아이도 알아들을 수 있으니까 그러니까 내가 하고 싶은 말은 사랑해

청춘

다들 청춘 하면 여름을 생각하더라 어느새 짧아진 소매 푸르른 교정과 간헐적으로 불어오는 시원한 미풍

그런데 왜 청은 푸르를 청을 쓰면서 춘은 봄의 춘자를 쓰는지 어린 낭만이 찾아오는 시기는 봄과 여름의 중간이었던 건가

사랑 없이

사랑 없이 살 수 있을까 이건 살 수 있다 없다의 문제가 아니니까

사랑 없이 살아가야만 한다 사랑은 누구에게나 참 좋은 자해와

자살 도구였다

새벽

너를 앓지 않는 나의 새벽도 의미가 있나요

계절은 죄악이야

시간이 조금이라도 올바르다면 너와 함께할 수 있을까라는 생각조차 과분한 치기인 것을 알아 나의 사계절은 너이지만 너의 계절에 나는 없으니까 억지로 생각을 쑤셔넣는 건 사상범죄잖아 너라는 계절은 내가 앓아야만 하는 죄악이니까

내쉬는 마지막 호흡에

마지막까지 너는 내가 뭘 원했는지 알았니 어쩔 수 없이 이렇게 된 게 아니라는 걸 똑똑한 너는 알고 있었니 수없이 메스를 잡고 수없는 사람을 만났지만 너는 나 하나 제대로 알지 못했잖아 결국에 죽어가는 나는 네가 가진 최초의 유일한 오점이 되고 마지막으로 호흡할 때마저 너는 내 병명조차 몰랐잖아

소설

너에게 나는 어느 정도일까 안락사한 사랑을 보며 펼치는 클라크에게 쓰는 윌의 편지

혹은 그것은 진실이었다, 정도 되는 한 문장

내일

네가 살지 않는 세계에도 내일이 오는지

나는 이런 멍청한 생각을 하다가 어느새 지나버린 자정에 오래 울었다

미 비포 유

시간이 지나면서 나아져야 하는데 그게 아니라면 나 이전에 네가 있었다면 이건 퇴행이나 다름없잖아

너라는 이유

네 덕에 어지간한 시간은 기다릴 수 있게 됐어 네 덕에 어지간한
무관심은 다정으로 받아칠 수 있게 됐어 과분한 걸 사랑한 업보지
뭐 응 그렇지

문장 수정

너를 사랑한다는 말을 쓰고 지우고 네가 보고 싶다는 말을 쓰고 지우고 한 번만 나와달라는 말을 쓰고 지우고 내 마음을 모르는 네가 밉다는 말을 쓰고 지우고

하얀 여백에 '뭐 해' 두 글자만 보냈을 때 나의 마음은

그때의 나는 어렸고

그때의 나는 어렸고 모르는 게 많아서

풀리지 않는 난제에 나는 자주 울었다

경주

너와 경주를 다녀왔어 나와 어디도 여행을 간 적 없었던 너와 우리 동네에서 차로 한 시간 떨어진 그곳에 어떻게 갔는지도 모르면서 때가 너무 생생해 그게 꿈이었단 게 못내 슬프지만서도

어쩌지 나는 너와 같이 갔던 곳을 혼자 못 가는 병이 있는데

미치광이

난 너의 광기가 좋았어 은은하게 일과 이를 뒤집어버리는 그 근본 있는 객기 말이지 나에게도 그런 치기가 조금이라도 있었다면 다른 생을 살 수 있었을까 하지만 안타깝게도 내가 가진 광기의 전부는 너를 향해 있었네

포비아

심각한 낭만 공포증입니다

빠른 시일 내에 가까운 여름을 찾아 처방받으시길 바랍니다

증오

이루어질 수 없는 사랑이 극도로 치닫게 되면 결론은 증오라던데

나는 너를 사랑만 하지 그게 끝이었나보다 더욱 사랑하고 싶었으나

미안하게도 나는 너를 증오할 수 없었다

네가 그렇게 착하지를 말았어야지

시간

달의 첫날에 누군가의 행복을 빌어주면 그 사람은 한 달 내내 행복해진대

나는 칠월도, 팔월도, 구월도, 시월도, 십일월도 너의 행복을 빌 거야

아마 앞으로도 쭉 그러겠지

네가 나를 시간으로 잊어갈 동안

나는 너를 시간에 각인하고

허구성

가끔은 이 모든 게 깨어야만 하는 꿈 같다고 생각을 해

깨어나도 내 옆에 너는 없겠지만

느리게

너는 아주 오래 내 곁에 없었고 너를 기다리는 나의 시간은 늘 느리게 흘렀으니까 나의 하루는 늘 남들보다 길었어

여름

여름이라는 계절은 어쩌다 낭만의 대명사가 되어버린 걸까
쏟아지는 강우 푸르른 녹음에 모든 것이 넘쳐나기에 가난하면
어여쁠 수 없다는 것의 방증

그리고 철 지난 여름에 허덕이는 염세적 사랑

세계

낭만으로 무럭무럭 커가는 형체 없는 바람에 깔려 서서히 죽어가는 나의 마지막은 네 손바닥 안에 온전히 들어간 쪼그라든 세계와도 같았다

그제서야 내 세계는 네 손 안에 있다는 걸 알았어

너는 죽은 후의 나에게도 존재의 필수조건이라는 것도

그래 그때 그냥 사라졌어야 했는데

부산물

네가 남기고 간 기억의 부산물은 지독하게 아프더라

사랑을 유기했다

나는 너를 버리고 돌아섰다 내가 떠나버린 이 상황에서 비롯된 우리의 간극은 절대 너와 나의 탓이 아니야 그저 우리의 사랑은 그곳에 두는 게 맞았던 거야

버렸다는 말도 이상하지

애초에 나는 널 가진 적도 없었는데

바람

눈을 감고 흘려보내기엔 너의 채도가 너무 짙었어 알잖아 내가 바랐던 건 투명한 너였는데 너는 늘 색을 치덕치덕 바른 모습으로 나를 마주했잖아 우리는 서로에게 솔직할 수 없었으니까 그럼 나는 푸른색을 어설프게 바른 바람에 또 절망하고 너는 죽겠다는 나를 보며 또 울어버리고

숲

이상적인 풍경과 우리의 풍경은 참으로 달랐기에 더욱 버틸 수가 없었다 우리의 숲은 불어오는 바람이 무색하게 열기에 허덕였으니 수분을 상실한 모래사장과도 다를 게 없었지 그 안에서 천천히 죽어가는 너에게 네가 꿈꾸던 숲은 어떤 모습이었는데

꿈

악몽도 환상에 포함이 되나요 무어라 이름 붙이기 나름인가 나는

아직도 실체 없는 망상에 사로잡혀 울고 있는데

네가 이름만 붙여줬다면 그 꿈은 정녕 존재했는지

초상

네가 처음 가진 풀내음은 상쾌하다 못해 지독했다 코끝에 남은 향은 시간이 가도 사라지지 않았고 나는 결국 그걸 껴안고 죽겠지 있잖아 내 장례식까지 오려거든 내 사진 앞에서 풀을 태우지는 말아줘

너에게 있어서만큼은 영원히 죽고 싶지 않았어

인어공주

내가 없는 세계에서도 열심히 숨쉬며 잘 살아야 한다고 말하는 너에게, 네가 그렇게 울면 차마 내가 너를 떠나갈 수 있겠느냐 하면서 우린 거품처럼 녹는다

있잖아 근데 제이야

인어공주가 아가미로 호흡하는 게 아니면 어떻게 해

눈물

눈물이 많아 자주 울었던 너는 나마저도 울기를 바랬냐며

파도에서 소리가 들렸다

먹혀드는 소란 소리 없는 발악에 고인 채 요동치는 투명은 검게 몸을 물들이며 울부짖어 왜 나를 투영하려고 하는 건데 이 정도밖에 안 되는 사랑이 뭐가 좋다고

이런 걸 부러워하는 너는 대체 어떤 사랑을 한 거야

잔인

너에게는 지독하게 잔인해지고 싶었다

너의 일거수일투족에 진하게 물든 뒤에 자취도 없이 사라져 버리고 싶었다

그래도 울면 안 돼

너도 분명히 그랬을 테니까

부재와 존재 사이

오히려 너의 부재가 나를 울지 않게 만들었을지도

사랑 이퀄

사랑이 아프다는 걸 당신에게 알려드리는 이유는 제가 이 사실을 알기 때문이고 어떻게 알았느냐 물으신다면 내 심장은 언제까지 무너져야 하냐 반문하겠습니다

배설

네가 보고 싶다는 나의 울음을 배설할 곳이 네가 없는 공간일 뿐이라는 게 참

벤쿠버

어떤 친구를 만나도 네 생각에 엉망이 된다는 말이 무슨 뜻인지

오늘 알았어 알려줘서 고마워

존재하지 않는 너에게

가끔

가끔 네가 사랑하는 것들이 나를 울게 만들 때가 있다

늦게

우리는 늦게 만났어야 했다

이기적이라면 십육 년을 늦게

이타적이라면 이십 년을 늦게

고도

나는 높은 곳에서 심장이 뛰는 사람이 아니었다 너는 고도가 그렇게 높지 않았지만 내 심장을 추락시켜 멎게 할 정도의 요량은 되었나보지

중독의 뜻

알싸하고 씁쓸한 알코올에 한 방울 추가된 달디단 맛

단 한 순간도 입에서 떼지 못해 결국에는 중독되는 맛

형체 없는 너는 없는대로 나를 미치게 한다

나락도 락이고 플라토닉도 토닉이었나보다

기억이 추억이 될 때

'기억한다'의 중의적 의미와 '추억한다'의 긍정적 의미 사이의 간극은 얼마나 큰 걸까 기억은 달고 쓴 모든 것들을 포함하지만 추억은 다디단 것만 기억하지 결국엔 우리의 단어도 편식을 한다

너는 나에게 기억으로만 남았다

내 입 안에서 굴려진 적도 없었으니까

환절기

봄은 잡힐 듯 잡히지 않는 너의 계절이기에 생략

여름은 유쾌하지 않게 나를 앓게 하는 너의 계절이기에 생략

가을은 내게 너의 부재를 각인시키는 너의 계절이기에 생략

겨울은 내 세계가 비로소 끝나버리게 하는 너의 계절이기에 생략

내가 이번에 걸린 병의 이유에 환절기라 쓰기에는

모순이 너무 많아서

시계

제 시계가 고장 난 것 같습니다 반나절이 한 시간처럼 흐릅니다
뭔가를 하지는 않았고요 그냥 ……

시계가 고장 나지 않았다니요 그럴 리 없습니다 분명히 다른
때보다 더 빨리 정각에 도달했는데

당신의 말이 맞담 모든 시계는 불공정합니다 그 사람과 있는
시간에만 빠르게 움직이니까

택배

칠 월 십칠 일 전까지 보내고 싶은 게 있어 주소를 알려줄 수 있겠니 라 보낸 나의 마지막 문자에 대한 답신은 없었다

너에게 줬어야만 했던 버려진 유통기한 지난 택배

답신

이 문자에는 답하지 마

이 말에 돌아온 답신은

답하는 건 내 마음이니까 할래

지금 와서 그럴 거였음 처음부터 이기적으로 굴지 그랬어

연착

전쟁 난다는 소리를 듣자마자 그 누구도 아닌 너와 도망가고 싶은 나 참 못됐다 그치

그래도 너 먹여 살리겠담 나 따라와 줄 거지

필터

세상 모든 거 다 걸러 들을게 끝없는 낭만을 고하는 사랑시는
있어도 의미가 있을까 사랑이 단내로 점철되어 있다면 존재 의미
상실이겠지 아마

너로 구성된 단어를 편식할 수만 있다면

에스유알지이오엔

너의 세계에는 비 대신 피가 내리고 너의 세계에는 비 대신 피가
고이고 너의 세계에는 장마 대신 혈류가 몰아치며

메스를 손에 든 너의 생은 피로 고여 있었으니까

응급처치

너의 감압에 비로소 정신을 차려 내리 숨만 쉬다가 깨달은 이

현실은 지옥이나 다름없었다고

낭

일 초에 전 세계에서 파도가 몇 번 치는지 아시나요 내 심박수를 어림할 수 있다면 대충 숫자가 나올 텐데

내게 너라는 이름의 파랑 또는 파란은 존재하지 않았어

만

양방충족이 필수적인 필요충분조건이 되기에는 너무 많은 것들이 필요했고 그 많은 것들을 하나로 묶어버리자면 너라는 상위개념으로 묶이게 되는데 그 하나 갖지 못해서 나는 매일을 종말처럼 살았다

세계를 유지하는 데는 하나만 있으면 되는 듯 해서

이

너의 이름에는 낙원과 재앙이 모두 존재했다 너는 나이면서 나와 다른 무엇이었으니 땅이 잠기는 건 대부분 같아야 하지만 다른 무엇 혹은 달라야 하지만 같은 무엇 때문이잖아

이곳의 첫 글자가 U 인지 D 인지 너는 어떻게 알아

앓

알고 있었다 모를 만하지 않게 어쩌면 당연히 알고 있는 게 옳다고
알고 있었는데 나는 알고 있는 것을 또 앓았고 너의 부재를
앓으면서 다시 알고 앓고 싶지 않았는데 알게 되면서 앓게 되고

은

한순간 끼어드는 더운 날의 시르른 오한은 미련이라고 이름 붙이며
껄떡거리며 차오르는 여름의 열병은 장마라고 이름 붙이며
놓으려야 놓지 못하는 휘발성 망각은 정이라고 이름 붙이며

너라는 사람은 무어라고 이름 붙이며

병

병약이라는 건 네게 나의 동정을 빌미로 하기에 참 좋은 핑계였다

그만큼 내 인생에 침투하기 쉬운 건 없었으니까

명

제이야

제이야

그러니까

너의 이름은 구원을 닮아있었잖아

마지막까지

너의 이름은

에필로그

; 그만 사랑하게 해주세요

매일을 우울 속에 살아.

너라는 이름의 장마가 나라는 이름의 여름에서 훌쩍 사라지면 어떡하지. 침울하고 마냥 반갑잖은 습기인 건 맞는데, 네가 없는 더위에 숨막혀 죽으면 그게 네가 제일 싫어하는 거 아니었어? 네 앞에서 누군가 죽어가는데 너는 손쓸 수 없는 상황. 너는 늘 네가 누군가의 구원이라 믿더라. 너는 이미 나의 구원이었으니 다른 사람들에게 구원이 될 필요는 없잖아. 나한테만 구원이 되어줘.

너를 그만 사랑하게 되는 방법은 너의 곁에서 떠나는 것. 조금 더 잔인하게 네 모든 일상에 파고든 후에 흔적도 없이 사라지는 것. 내가 그러면 너는 울 거지. 원래 눈물이 강을 이루는 아이니까 또다시 울 거지. 내가 죽어버리겠다 했던 그때처럼. 하지만 넌 울면 안 돼. 난 네가 나한테 한 행동을 똑같이 돌려주는 거야.

이미 나는 네 곁에 없지만. 직항을 타도 열한 시간 걸리는 머나먼 곳에 있지만. 그곳에서 내가 무슨 말을 하든 너는 모르겠지. 내게만 말해준 너의 모든 것들을 익명의 다수에게 풀어버린다든지, 네 속에 독을 놓는다든지. 안 괜찮은 꼴을 하고서 괜찮다고 늘 태연한 척한다든지. 울면서 걸려 오는 네 전화를 전혀 받지 않는다든지. 어때, 너만 알던- 이젠 나도 나는- 그 사실을 지키고 싶지 않아? 내 곁에서 사라지면 되겠지, 안 되겠니. 참 웃기다 그치, 실제로 사라지는 건 나인데.

비밀을 영원히 지키는 방법은 간단해. 둘 중 한 명이 죽으면 되거든. 그런데 생각해 보니 한 가지 방법이 더 있네.

그냥 둘이 사랑에 빠지면 되는 거야.

The Pierce 의 Secret.

파랑을 담아,

백노아.